COEUR D'EXPATRIÉE

Dépôt Legal : 2018

ISBN : 978-0-578-21412-2

Correction : Simone Klipfel
Photographie de couverture avant : Ryan Gavlick, tous droits réservés
Illustrations graphiques : Ryan Gavlick, tous droits réservés
Photographie de couverture arrière : Gérard Billy

Coeur d'Expatriée

Recueil

par Christine Klipfel Gavlick

A mon grand-père qui me suit de son étoile,

A ma grand-mère qui me protège de son nuage...

Préface

***

J'ai commencé la poésie à l'âge de 8 ans. Mon grand-père était un amateur de poésie, il m'a enseigné toutes les règles pour faire de la vraie poésie en alexandrin avec comptage de pieds. Règles avez-vous dit??! Ce n'est pas pour moi évidemment, j'ai donc décidé d'écrire en prose mon tout premier recueil. J'ai toujours aimé créer des rimes, j'aimais l'aisance avec laquelle je les trouvais, ce qui, à l'époque, était plus un jeu qu'un exercice littéraire.

Après cinq ans d'expatriation, j'ai pris mon courage à deux mains et j'ai décidé d'écrire sur un sujet qui me tenait à cœur: mon déracinement, mon voyage, mon expérience. Entre thérapie et exutoire, ce recueil m'a permis de mettre à plat mes sentiments. Des émotions étaient coincées dans mon Cœur d'Expatriée depuis trop longtemps et j'ai pu finalement les poser sur papier. À la fin des trente poèmes, et quelques pleurs plus tard, j'ai eu l'impression de réellement extérioriser quelque chose que j'avais besoin d'exprimer. Et le partager avec vous est un cadeau, très personnel, très intime.

Dans ce recueil, je me mets entièrement à nu, je révèle des vérités dont je n'ai parlé à personne, sans peur, rendant mon recueil confidentiel et quelque peu engagé.

Dans un monde où l'apparence et l'artifice sont rois, j'ai décidé d'être honnête et de montrer mes forces, comme mes faiblesses, car je n'en ai pas honte. C'est elles aussi qui m'aident à avancer et à devenir plus forte. Entre bonheur et difficultés, l'expatriation est un événement majeur dans une vie. Mon départ a été ma plus belle décision, mais aussi ma plus difficile.

Je voulais connecter tous les expatriés sur le plan émotionnel. Vous n'êtes pas seuls, et même si vous en avez l'impression, j'espère que par ce recueil, vous vous retrouverez et vous réaliserez que vos réactions, vos difficultés, vos humeurs, sont normales et que nous passons tous par là pour payer le prix de la recherche du bonheur.

Je vous souhaite une bonne lecture et un merveilleux moment à travers mes histoires.

***

Coeur d'Expatriée

Je l'ai choisi, j'en avais besoin,

Après longues réflexions, ou coup du destin,

Je suis partie loin de mon pays et des miens,

Avide d'opportunités, prendre ma vie en main.

Contrôler où j'habite, contrôler qui je suis,

Se perdre, se chercher, se trouver,

Difficile d'imaginer la peine et l'ennui

Dans une vie sensée être ensoleillée.

Mes ambitions et mon désir de voyage

Ont été plus forts que mes peurs,

Il m'a fallu de la ténacité et du courage

Pour rester, affronter, panser mes douleurs.

Loin de ma famille et de mes amis,

L'impression de mourir de chagrin est réelle.

Loin d'être un mythe, le mal du pays

S'estompe, mais revient comme un rappel.

On ne peut nier ses origines,

On ne peut fuir son pays.

Il nous rattrape, nous chagrine,

À chaque fois que l'on pense à lui.

Vivre à l'étranger n'est pas une chance,
C'est un choix, un sacrifice, un sort.
Écoutant son cœur qui vacille et balance
Entre son destin, sa vie, son confort.

Ce dernier m'aurait tuée,
Je ne pouvais pas m'y résigner,
J'ai choisi alors de sacrifier
Des choses essentielles avec "regrets".

Des moments où je ne suis pas là,
Des événements que je manque tristement,
Une culpabilité d'imposer mes choix,
Des amitiés glacées avec le temps.

Comment garder le contact à dix mille kilomètres,
Gérer les frustrations de mes êtres chers,
Les personnes que j'aime de tout mon être,
Ne pas les faire gronder de colère.

Rongée par la culpabilité de les avoir laissés
Et par la tristesse d'être presque trop loin
Ou le fait d'être presque oubliée,
Comme si de moi ils n'avaient plus besoin.

L'Américaine m'appelle-t-on dans mon pays si tendre,

La Frenchie dans mon pays d'adoption,

Encore une fois à s'y méprendre,

L'impression de perdre mon identité, ma raison.

Je l'ai choisi, j'en avais besoin,

Après longues réflexions ou coup du destin,

Mais de vos cœurs je ne serai jamais loin

Et vous serez toujours proche du mien.

Quand je serai grande, je serai expatriée

Quand je serai grande, je serai expatriée,
Mon rêve étant, à travers le monde voyager.
Je savais que je partirais, mais pas où je m'installerais,
Mais je sentais que beaucoup d'avions je prendrais.

J'ai eu la chance que mes parents me fassent beaucoup voyager,
D'Espagne à Prague, d'Autriche en Italie,
Ce qui m'a donné pour les périples un goût prononcé,
La découverte de cultures, de langues, de pays.

À chaque fois que je partais en vacances,
J'imaginais vivre dans cette nouvelle contrée,
Comme si c'était mon pays de résidence,
Comme si j'étais expatriée.

L'hôtel devenait ma maison,
Que je faisais visiter à mes amis imaginaires,
Entre nous, impressionnés de ma situation,
De mon courage, de ma vie, de mes chimères.

Plus tard, j'ai commencé ma vie d'expatriée
Avec la Serbie mon premier voyage d'insertion,
Expérience inoubliable, des mois restée
À découvrir une langue, une histoire, une civilisation.

Cet avant-goût m'avait convaincue largement,
Je devais repartir mais où?
Tellement d'idées se bousculaient gentiment,
Je n'arrivais pas à me décider, voulant aller partout.

Dans le top dix était l'Amérique,
Dubaï, Singapour ou Bali,
Le Japon, la Grèce, la Martinique,
Le Canada, le Brésil, l'Australie?

C'est finalement Miami qui m'a accueillie
Sur un vrai coup du destin,
M'a donné l'opportunité de vivre ici,
De commencer mon rêve américain.

Toujours passionnée par les voyages,
L'avion était mon meilleur allié,
Toujours aimé être dans les nuages,
Quand je serai grande, je serai expatriée.

Le départ

Ce jour de Septembre, mon visa approuvé,
Balbutiant au téléphone, ayant du mal à réaliser,
La vie que j'ai demandée est là, il faut l'embrasser,
Une petite peur au ventre, très vite effacée.

Je me souviens de mes parents à l'aéroport,
Ma mère en sanglots, mon père les cachant par fierté.
À ce moment, pour moi pas de regrets, de larmes, de remords,
Je m'envole pour mes rêves à achever.

Le fameux moment des au revoir,
Pas d'adieu, on va se retrouver,
Noël, l'année prochaine, ou plus tard,
Rien n'est encore déterminé.

L'hôtesse m'ouvre la porte vers ma liberté,
Petit oiseau déploie ses ailes pour s'envoler,
L'avion part bientôt, il est temps d'embarquer,
Pas le moment d'avoir peur, plus le moment de reculer.

Mon siège trouvé, mon bagage dans le compartiment,
Je m'installe, ne pouvant plus attendre le décollage,
Encore sur le sol français pour quelques instants
Avant de construire une nouvelle vie dans les nuages.

Ceinture bouclée, l'avion prend de la vitesse,
Ma liberté est à son point culminant,
L'avion décolle, je décuple mon ivresse,
Je suis inarrêtable, m'emporte le vent.

Cette sensation irréelle ne va pas me quitter,
Un nouveau chapitre de ma vie à écrire,
Quand environ cinq heures après,
Je réalise...première larme je dois dire.

Faisant croire que le film dramatique que je regarde
M'arrache des larmes de crocodiles,
Alors que c'est mon départ, et je garde
Pour moi mon émotion et mes questions difficiles.

Ça y est je suis partie, j'ai fait le grand pas,
Les doutes remontent mais redescendent aussitôt.
J'y arriverai, mon destin est là-bas,
Se calmer, dormir, se rassurer au Pinot?

J'y repense avec grande émotion,
À ce jour qui a changé ma vie,
Un des meilleurs, le revivre sans hésitation,
À ce jour qui m'a saisie

Je suis fière, je souris, je réalise mes rêves,

J'essuie mes yeux, jamais arrêter d'y croire,

J'en fantasmais, je l'ai prié sans trêve,

J'y suis, je fonce, enfin mon grand départ.

Le drapeau

Rouge, bleu, blanc,
Même couleurs, même fierté,
Les histoires différent et pourtant,
Ces drapeaux sont nos contrées.

Liberté, Égalité, Fraternité,
Notre devise censée nous définir,
Nos valeurs violemment bafouées
Nous ont donné l'envie de partir.

Les étoiles à suivre pour être guidés,
Les rayures pour nous montrer notre chemin,
Les cinquante états, notre nouvelle destinée,
Les treize fondateurs, nos sages gardiens.

Rouge, bleu, blanc,
Nos couleurs, nos drapeaux,
Ces deux terres, amoureuse éperdument,
J'y crée mes souvenirs les plus beaux.

The Star-Spangled Banner aux USA
Fait battre notre cœur, nous apaise,
Quand nous élevons nos voix
En écoutant la Marseillaise.

Où que l'on soit quand on les voit levés,

Les larmes aux yeux, les admirant onduler,

Nous prônons notre bi-nationalité,

À jamais nous serons expatriés.

Ode à mes Parents

Vous qui m'avez soutenue à tout moment,
Je sais qu'à contre cœur vous m'avez encouragée,
Comme il doit être difficile de voir partir son enfant,
Quand on ne comprend pas sa destinée.

Votre éducation frisant la perfection, m'enseignant le courage,
L'indépendance, le dur travail et ne jamais laisser tomber,
Vous m'avez appris à réussir, être intègre et sage,
À me battre même quand je suis apeurée.

Je n'aurais pu le faire sans votre soutien,
Vous, qui malgré mes lubies m'avez toujours approuvée,
Vous avez cru en moi, en mon surprenant destin,
Même quand je vous ai dit que je partais.

Je sais que mon absence est cruelle,
Je me sens coupable de vous l'imposer,
Pardonnez-moi pour mon déploiement d'ailes,
L'oiseau du nid devait s'envoler.

J'espère que maintenant vous me comprenez,
Vous avez fait de moi un soldat, une guerrière,
Une princesse aux couteaux aiguisés
Qui peut parcourir la Terre entière.

Notre amour est plus fort que la distance,

Inconditionnel, infiltré à jamais dans nos cœurs,

Pas un jour ne passe, sans qu'à vous je pense,

Vous êtes ma force, mon énergie, mon moteur.

Oh que je suis fière de vous, je ne serais rien

Sans les deux êtres qui m'ont donné la vie,

Sans vous mes parents, votre amour et notre lien

Qui restera éternellement gravé. Merci.

À Ceux que j'ai perdus, à Ceux qui sont restés

On ne sait jamais qui sont nos vrais amis
Avant que quelque chose d'important nous arrive.
Un drame, un problème, la distance, un ennui,
Et ceux qui ne sont pas faits pour vous changent de rive.

Mon expatriation a fait naturellement le ménage,
Mes amis, mes amours, mes connaissances,
Divisés en deux types de personnages,
Ceux qui resteront à jamais et ceux qui n'ont plus d'importance.

Quand on part, on vous jalouse, on vous envie,
Certains prient pour vous, d'autres rêvent de vous voir échouer,
Ne supportent pas votre courage, votre motivation infinie
Qu'ils aimeraient avoir, mais qu'ils n'auront jamais.

Alors ils vous souhaitent le pire, pour se rassurer,
Elle va revenir, elle n'y arrivera pas,
Le rêve américain est pour sûr terminé,
Dans six mois, elle sera à nouveau là.

Ces souhaits, vous les entendez sans les écouter,
Ils vous donnent la détermination de prouver votre succès,
Des années après, pas revenue, pas abandonné,
En persévérant, vous leur fermez leur clapet.

Certaines des connaissances que l'on voyait deux fois l'an
Vous contactent, surgissent de nulle part,
Annonçant qu'elles arrivent, en bien sûr demandant
Après un silence radio, les clés du manoir.

Des amitiés finissent, la distance pour quelque chose y est,
Les chemins se divisent, se multiplient,
Chacun prend différentes voies, chacun a changé,
Les relations s'épuisent, s'effritent, s'atrophient.

Certains « amis » deviennent des inconnus,
Ils vous en veulent, c'était votre choix,
À vous de donner des nouvelles, prouver votre vertu,
Compenser de les avoir laissés, les incompréhensions font la loi.

L'amitié ne se prouve pas, elle se vit,
On la sent, on la sait, pas besoin de farandole.
On ne pense pas aux actes manqués, aux non-dits,
On aime sans condition, on pardonne.

Les belles surprises sont ceux qui restent,
Malgré les kilomètres, malgré les mois,
Quelques e-mails, cartes ou textes,
On sait que pour l'un et l'autre, on sera là.

Pas de preuve, pas d'inquiétude, de l'amour
Le seul ingrédient de cette unique relation,
Une forte télépathie vous surprend au détour,
Des mois sans nouvelle, mais dans nos cœurs les amis resteront

On se retrouve deux ans après,
Comme si dix minutes étaient passées,
Ce sont ceux qui sont restés,
C'est la véritable amitié.

All Lives Matter

En France, je voyais l'Amérique
Comme la terre parfaite, la terre promise,
Sans problème, sans souci, idyllique,
Là où je rêvais de poser mes valises.

Dans ma tête étrangement, pays de tolérance,
Quand la réalité m'a prouvé le contraire.
Le racisme est partout, monte en puissance,
Quand on entend au coin d'une rue le mot “nègre”.

Je quittais mon pays où le racisme est élevé,
J'aurais aimé que cette sensation n'existe plus,
Mais j'imagine que c'était trop demander,
Sur un sol où le KKK a été conçu.

L'histoire a ravagé notre présent,
Le passé ne peut changer, dommage,
L'éducation n'a jamais fait d'amendement,
Expliquer que c'est mal, une erreur, l'esclavage.

Donc certains continuent à penser erroné.
En quoi vous sentez-vous supérieurs?
Vos cheveux? Votre teint? Votre peau moins foncée?
Définitivement, vous me donnez des haut-le-cœur.

Tous les êtres de cette planète sont égaux,
Africains, Asiatiques, Blancs, Indiens,
Nous pouvons tous être amis, sans guerre, sans ghetto,
Si nous décidons enfin de nous donner la main.

“Sale blanche”, un surnom dans le tramway en France,
Une forme de racisme dont on ne parle jamais.
Les blancs aussi sont victimes, bien plus qu'on ne le pense,
“You white bitch” ici en anglais.

Je ne leur en veux pas, je leur pardonne,
Nous sommes tous en crise d'identité,
Mais si vous me lisez, et que votre cœur bourdonne,
S'il vous plait, de l'amour à l'infini, donnez.

N'écoutez pas les journaux, écoutez votre cœur,
Essayez de comprendre ce qu'il veut vous dire,
Et demain dans la rue, ou dans quelques heures,
À tout le monde, donnez votre plus beau sourire.

J'aime l'humain, quand il n'est pas borné,
Nous sommes tout et rien, nous sommes poussière,
Le fait de partir m'a appris, m'a montré,
Tous les humains sont uniques, All Lives Matter.

Quand j'étais petite, déjà Américaine

Maman nous demandait ce qu'on voulait déjeuner,
“Hamburgers!”, mon frère et moi criions à l'unisson.
Parmi tant d'autres, un de nos plats préférés,
Frites et burgers, bien entendu faits maison.

“On est Américains!”,
Je m'empressais de dire,
Petit clin d’œil du destin
Qui connaissait déjà mon avenir.

Je pensais qu'agir comme une Américaine,
Changerait provisoirement ma nationalité,
Beurre de cacahuètes, ketchup et donuts à la crème,
Sans oublier un soda trop sucré.

Les seuls clichés que je connaissais
Étaient des stéréotypes alimentaires,
Tout ce qu'on voyait à la télé,
Tout ce qui pouvait nous plaire.

Étasunienne d'un jour, sans penser l'être vraiment,
À cinq ans, je n'aurais jamais imaginé que j'y vivrais,
Que j'y construirais ma vie, que je tomberais amoureuse éperdument
D'un homme admirable d'ici, que je serais Américaine pour de vrai.

Certains petits signes peuvent paraître anodins,
Des années après, je me souviens, j'en souris,
Il n'y a pas de hasard quand on parle de destin,
Tout ce qui arrive a une raison d'être, est écrit.

Petite, j'agissais comme celle que je voulais devenir,
C'était mon jeu, ma croyance, ma vie imaginaire.
Si cela a si bien fonctionné avec ce désir,
Maintenant, je vais agir comme une millionnaire.

Mon Peuple

Que je l'enviais ce peuple étranger,
Fier de son territoire, de sa patrie,
Soutenant ses étoiles, son armée,
Du monde entier, le premier pays.

La main sur le cœur, la larme à l'œil,
Chantant l'hymne national par cœur,
La levée du drapeau au réveil,
Il m'enchantait par sa ferveur.

Cela me manquait terriblement en France,
Ne pas ressentir cette nationalité,
Comme si on ne pouvait pas dire ce qu'on pense,
Doit-on être honteux d'être Français?

Le peuple américain m'a appris à aimer,
Leur héritage, leur puissance, leur terre,
À lever la tête, sentir leur histoire empoigner
Mon cœur, mes veines, mes nerfs.

Ils m'ont appris à aimer la France,
Cet unique royaume si prisé, ce joyau,
Ils en sont amoureux, plus qu'on le pense,
Paris, Strasbourg, St Tropez, Bordeaux.

Représentés en héros dans les plus gros clichés,
En sauveurs du monde, de l'univers, de la galaxie.
Est-on vraiment loin de la réalité?
Auriez-vous oublié les plages de Normandie?

Un peuple courageux, intrépide, généreux,
Sincère, poli et discipliné,
Un peuple dont on tombe très vite amoureux,
Loin de ce que le reste du monde peut imaginer.

Les Américains ne sont pas fous,
Comme on peut le lire dans les journaux.
Il faut y vivre pour comprendre les loups
Sauvages, mais attachants sous leur peau.

Personne ne représente un pays mieux que ses habitants,
C'est le peuple qui le définit,
Pas son gouvernement, ses lois ou son président,
C'est notre cœur, notre culture, notre famille.

Je suis fière d'être Française, plus que jamais,
Célèbre Paris, mon patrimoine, ma République,
Mon peuple d'origine, mon berceau, ma Cité,
Même si j'ai répondu à l'appel de l'Amérique.

Terre d'amour et d'opportunité,

Je chéris mon pays d'adoption,

Aime ses citoyens à en crever,

Mon Peuple, mon pays, ma nation.

Quand j'ai tout perdu

On ne se rend jamais compte de ce que l'on a
Avant que vraiment on ne le perde.
Après de longues années vécues là-bas,
L'immigration m'a coupé sous les pieds, l'herbe.

Un matin d'août, je consulte mes e-mails,
En demande de changement de statut,
Depuis mars attendant des nouvelles,
Des mois de stress jusqu'au verdict reçu.

Votre visa est refusé,
Écrit noir sur blanc, mon cœur s'arrête.
Cinq jours pour quitter votre contrée,
Votre amour, votre vie. Tourne ma tête.

En un message, une décision me tuait de l'intérieur,
Jour de mon anniversaire, je pensais faire la fête,
Perdre tout ce que j'ai construit, remontent mes peurs,
Trouver une solution était ma nouvelle quête.

Mon avocat au téléphone, la nouvelle tombe:
Ton visa refusé, tu es à présent illégale.
Ces mots ont raisonné comme une bombe,
Dans ma vie parfaite où je ne faisais rien de mal.

Prendre l'avion et rentrer
Pouvait être une sage décision,
Jusqu'à ce que la rétroactivité
Puisse me coûter la prison.

Illégale depuis des mois, car ils comptent à reculons,
Être bannie des années pouvait être ma sanction.
L'amour de ma vie et moi ici vivions,
C'était décidé, je ne prendrais pas l'avion.

Mes papiers expirés, mon permis non-valide,
Je roulais peur au ventre de me faire arrêter,
Passer à côté d'un barrage de police, visage livide,
Mon cœur, à plusieurs reprises, a failli lâcher.

Un très bon avocat, des conseils d'exception,
Quelques temps plus tard légale à nouveau,
Je n'oublierai jamais cette sensation
D'être non-documentée, un vulgaire numéro.

Ode à Mon Ange

Coup de foudre au premier regard,
Sept longs mois de cour,
Définitivement loin d'être un hasard,
Cette rencontre allait changer mon parcours.

Difficile de donner son âme, si cachée,
Craintif, comme moi, pensant au passé,
Ayant peur d'avoir le cœur brisé,
On a même failli tout dévaster.

Sur ma route, j'ai rencontré mon ange,
Un vrai, comme il est rare d'en croiser,
Une forte intuition, un sentiment étrange,
Qu'un jour, comme une évidence, je l'épouserais.

Des kilomètres en solitaire parcourus,
Certaine que j'allais croiser son chemin,
Miami, New York, San Francisco, je continue,
Los Angeles, le point crucial de mon destin.

Savoir que c'est lui pour la vie,
Qu'on ne peut se séparer,
Ensemble tous les jours, depuis
Qu'on a osé notre premier baiser.

Il m'a appris à aimer

Plus que je ne pouvais l'imaginer,

Avoir confiance, rayer le passé,

Ce qui compte, c'est toujours d'avancer.

Me rendant absolument meilleure,

Calme, libre et épanouie,

À l'écoute des autres, à l'écoute du bonheur,

Il a su rassurer, la femme et la petite fille.

Me prouvant un amour vrai,

Sans artifice, sans secret,

Relation passionnelle faite d'honnêteté,

Juste nous deux, et le monde entier.

Pensant qu'il est un vrai ange parfois,

Apparu dans ma vie comme pour m'aider,

Mon sage, mon protecteur à moi,

Comme s'il était né pour m'aimer.

Mon ange, être si reconnaissante

De t'avoir dans ma vie, tous les jours,

Rire, rêver, d'être ton amante,

Ta meilleure amie, ta femme, ton amour.

Mon ange, je te dédie ce poème

Car tu es l'homme de ma vie,

Aucun mot ne peut décrire comme je t'aime,

Aucun mot ne peut décrire mon chéri.

Immigré

Dans mes deux pays, le mot immigré

À une connotation péjorative,

Comme si le fait d'être arrivé,

Nous plaçait dans une situation élusive.

Les résidents ont tellement peur des étrangers,

Pensant qu'ils vont leur voler leur identité,

Leur travail, leur contrôle, leur liberté,

Alors on réfute et rejette cette idée.

En France, ce mot et son sens négatif,

À la télévision, dans la rue, dans les journaux,

Induit en erreur les autochtones craintifs,

Donne une fausse idée du dit mot.

Immigré: qui a quitté son pays d'origine

Pour s'installer dans un autre pays.

Rien de cette définition ne vous chagrine?

Quand on sait comment tous les jours il est dit?

Je suis une immigrée, une vraie,

J'ai quitté la France pour l'Amérique.

Cela fait-il de moi une personne dont on doit se méfier?

Une voleuse de travail, une étrangère sans éthique?

Il en faut du courage pour quitter son pays,
Pour tout reconstruire et s'intégrer,
Faire face à ceux qui n'ont pas compris
Une simple phrase avec votre accent prononcé.

"L'Amérique pour les Américains",
Une réplique qui blesse profondément,
Quand on a choisi une destination, un destin,
Et qu'on y fait tous les efforts pour ne pas être différent.

"Mais non, toi tu es Française, ce n'est pas pareil",
Me dit pour me "rassurer" une Américaine,
Ça ne me calme pas, au contraire ça m'effraye,
Quelle serait la différence si j'étais Mexicaine?

Généraliser, c'est ne pas vouloir comprendre,
Qu'une crise identitaire possède les immigrés,
Juger sans connaître, à se méprendre,
Car c'est plus facile que de s'y intéresser.

Immigrés de tous les pays,
Respectez vos nouvelles patries,
Car si vous êtes là aujourd'hui,
C'est que vous avez une chance inouïe.

Immigré est un mot magnifique

Dont on ne devrait jamais être honteux,

Preuve d'indépendance, de sacrifices, de mérite,

À la recherche du bonheur et d'être heureux.

La prochaine fois que vous l'utiliserez,

Faites attention avec ce mot choisi,

Jamais rien n'est assuré,

Peut être qu'un jour vous le serez aussi.

Los Angeles Je t'Aime, Moi Non Plus

Une ville majestueuse aux allées animées,
Connue pour son signe et son trafic,
Ses gratte-ciel, ses collines, ses célébrités,
Ville faite de succès, de stars iconiques.

Los Angeles, je t'aime pour des milliers de raisons;
Tes opportunités, ton énergie, les rêves que tu nous vends,
Les paysages, les vues imprenables, les maisons,
Cette électrisante ambiance, cet étrange sentiment.

Les hommes d'affaire nous rappellent que tout est possible,
Que tout est réalisable dans cette ville excentrique,
Parfois le temps s'arrête, s'accélère et file,
L'énergie est palpable, forteresse charismatique.

La Cité des Anges a un côté biblique,
Une perfection surprenante, envoûtante et rebelle,
Les anges y viennent au sommet, au pic,
Pour oser, sauter, déployer leurs ailes.

Ville apaisante, des possibilités de se relaxer;
Le désert, la montagne, les plages du Pacifique,
La chaleur, terre ensoleillée, temps rêvé,
De rares nuages en œuvres d'art, des couchers de soleil magiques.

Personne ne parle de son côté obscur,
Pourquoi parfois je la déteste, je la hais,
Rien que le fait de le dire, peur qu'elle me torture,
Qu'elle ose violemment me mettre à ses pieds.

Elle révèle son visage maléfique,
Quand on l'aime il est déjà trop tard,
Comme si son plan était méthodique,
Sa violence subitement nous empare.

Un champ de bataille entre l'Ombre et la Lumière,
Lieu de guerre constante entre ces forces invisibles,
Ses habitants choisissent leur camp, une dernière prière
Et quotidiennement luttent pour un jour plus paisible.

Elle rend fou, pousse à l'insanité,
Quand pour elle et leurs rêves, ils ont tout quitté,
En échec mais jamais prêts à capituler,
Mieux vaut rester sans toit, que d'elle s'éloigner.

Une ville de magie, une ville d'illusion
Où le paraître est roi, ne pas perdre la face,
Toujours faire croire, intérioriser ses émotions,
Une loi superficielle que tout le temps je dépasse.

Sous son emprise, sa population
Droguée, en manque, on ne peut la rejeter.
Peur de lui déplaire, de sa réaction,
Sa colère pourrait nous foudroyer.

Une relation dangereuse d'amour et de haine,
Comme aimer un mauvais garçon,
Quand on sait qu'il nous fera de la peine,
Mais qu'on ne peut empêcher cette obsession.

On a toujours foi en elle, même quand elle nous affame,
Le succès est l'objectif, prêts à tout pour y arriver,
Certains vont jusqu'à perdre leur âme dans les flammes,
Venus trouver l'Eldorado, mais le Diable rencontré.

Quand elle fait son cinéma, actrice douée et redoutée,
Elle en a fait pleurer des comédiens,
La La Land est effroyable, a déjà tout calculé,
Pour les poupées qui viennent changer de destin.

J'aime m'évader de temps en temps,
Ne pouvant plus la supporter,
Elle se referme sur moi, m'avalant,
Dans son festin d'expatriés.

Los Angeles, je t'aime, je te hais,

Tu nous donnes cette force de monter au sommet,

Et si nos doutes viennent nous hanter,

Tu nous écrases sans un regret.

Los Angeles, je te hais, je t'aime,

Difficile de vivre sans toi,

Et si je t'ai dédié ce poème,

C'est que tu es ma maison, mon chez moi.

Je veux rentrer

Il est facile d'abandonner,
De jeter l'éponge, d'acheter un billet
Pour rentrer et avoir la paix,
Être avec sa famille et ne plus stresser.

Combien de fois je me suis dit:
Je veux rentrer,
Car trop difficile la survie,
Dans une ville comme L.A.

La patience pour s'intégrer,
La compréhension pour accepter,
Le travail pour évoluer,
Et un grain de folie pour rester.

Certains reviennent pour leur bien-être,
Je le respecte et le comprends,
La vie d'expatrié, pas toujours une fête,
Le mal du pays, la solitude qui nous prend.

Je veux rentrer quand je ne me sens pas bien,
Quand mon futur est indécis,
Quand je ne sais plus ce qui est sain,
Quand je suis perdue sous la mélancolie.

Je veux rentrer quand je me demande ce que je fais là,
Quand j'ai besoin de ma bouffée d'air,
Quand je ne suis plus sûre de moi,
Quand j'ai dans ma tête, du ménage à faire.

Si je rentrais, je ne reviendrais plus,
Visa oblige, ne pas succomber,
À l'appel du confort perdu,
À l'appel de ma vie passée.

Sans mon mari, ici je ne serais plus,
Vivre seule cette aventure n'est pas facile.
Il était là quand j'aurais décousu
Tout ce que j'avais construit fil par fil.

Il m'a donné l'envie de continuer
Quand je disais je veux rentrer,
"Regarde ce que tu as traversé
Serais-tu prête à tout oublier?

La Dame aux Jambes de Fer

Ses longues jambes, sa classe mondiale,
Où que je sois, je pense à elle,
Mon endroit préféré sans égal,
Ma fierté, ma Tour Eiffel.

Elle se tient gracieusement au cœur de Paris,
Nous faisant vibrer quand on l'aperçoit.
Une émotion incommensurable quand elle scintille,
Elle exprime mille mots, quand on reste sans voix.

Je peux rester des heures en-dessous,
La regardant amoureusement,
Elle nous laisse monter à son cou,
Pour admirer ses arrondissements.

Elle représente Paris, La France, notre culture,
Notre patrimoine, notre histoire, notre patrie,
Jamais lassée de son architecture,
Je ne peux rentrer sans visiter son parvis.

Même maintenant, protégée de toute part,
Contre l'homme et ses idées meurtrières,
Comme un joyau, recherché et rare,
Posé, dans son écrin de verre.

Ma Tour Eiffel, je t'aime profondément,
Tu me fais couler des larmes loin de toi,
Tu es partout dans mon appartement,
Tableaux, statues, serviettes, objets en bois.

Ce fameux monument nous rend fiers,
Tu es notre huitième merveille du monde,
Comme une protectrice, une mère,
Depuis des années, d'amour tu nous inondes.

On ne parle pas de Paris, sans parler de tes piliers,
De tes trois cent vingt quatre mètres, tu domines,
Gustave peut se reposer en paix,
Tour scientifique, prouesse citadine.

Tu fais rêver les habitants du monde,
Accueillant les visiteurs pour leur montrer ton élégance,
Ayant multiples capacités, tu envoies tes ondes,
Faisant de toi une tour d'Excellence.

Ma Tour Eiffel, je viens te voir dans quelques semaines,
Pour toi, je suis prête à traverser la Terre entière,
Pour voir ton sommet, tes lumières, ta Seine,
Mon Amour, ma Dame aux Jambes de Fer.

Aux Armes Citoyens

Même si notre hymne national
Nous pousse à une violence rebelle,
Aux armes citoyens, plutôt radical,
En Amérique, ils se réjouissent de cet appel.

Les citoyens ici prennent les armes,
En donnant l'excuse la plus banale,
C'est pour se défendre, même si des larmes
En sont la conséquence, devenue normale.

Ce n'est pas l'arme qui tue, c'est l'homme,
Dit-on pour justifier le droit de la porter,
Il a bon dos l'humain, même s'il fait partie de la donne,
Sans fusil, sans revolver, il ne pourrait pas autant massacrer.

Il utiliserait une autre arme vous me direz,
Un couteau, une machette, ses mains?
Mais avec cela il ne pourrait pas en masse tuer,
Enlever à des centaines de familles, les siens.

Pour se défendre? Si un pistolet peut rassurer,
Pourquoi a-t-on besoin de mitraillettes?
De fusils, d'armes militaires, pour justifier
Leur extrême besoin d'appuyer sur la gâchette.

On peut honteusement parler de légitime défense,
Pour se procurer ces machines à tuer,
Personne n'a besoin, même en cas de malchance,
De ces machines de guerre, de ces lâches objets.

Quand depuis les dix dernières années,
Deux cents fusillades de masse ont eu lieu,
Quand allez-vous vous réveiller?
Quand allez-vous ouvrir vos yeux?

Leur yeux sont plus qu'ouverts,
C'est moi qui suis en plein cauchemar,
Quand la légitimité d'un revolver
Peut faire basculer nos vies en provisoire.

Tant que les armes seront légales,
Sans contrôle, accessibles comme des croissants,
Ils continueront à faire du mal,
Au nom de leurs désordres, démons qui les rendent déments.

Si je veux posséder un fusil à pompe militaire,
Pour moins de soixante dix dollars à Walmart assuré,
Je peux faire confiance à tous ces vendeurs, ces traîtres,
Pour ne jamais rien vouloir réguler.

L'argent les rend aveugles, mais ils voient tout,
Dans un seul but: augmenter leurs richesses.
Est-ce qu'à la fin pour eux ça vaut le coup
De vendre leur âme au diable pour du business?

Triste monde où même les enfants sont armés,
Rien ne tourne rond dans la tête des tueurs,
Je rêve d'un monde sans violence, de paix,
Rien ne tourne rond dans la tête des leaders.

Le Mal du Pays

L'excitation, le bonheur et la joie
Étaient mes premières sensations.
La liberté de vivre pour moi
Me remplissait d'émotion.

Il m'a touchée, comme un éclair,
Premiers pleurs, malheureuse à en mourir,
Une photo, une lettre de ma mère,
Et je rencontrais le mal du pays, le pire.

Se morfondre dans son lit, sous mille mouchoirs,
Ne pas comprendre pourquoi ce chagrin ne passe pas,
L'impression de mourir de tristesse sans le vouloir,
Rien n'y fait, rien ne m'aide, dans mes larmes je me noie.

J'ai la sensation qu'on m'arrache le cœur,
Comme si j'avais rompu avec ma chair,
Ai-je quitté mon pays, les miens, mes valeurs?
Ai-je rompu avec mes êtres chers?

"Pourquoi es-tu partie si tu n'es pas heureuse?"
"Tu sais, tu peux rentrer quand tu veux"
Des phrases que j'entendais comme des berceuses
Qui me faisaient plus mal, rentrer je ne le peux.

Ma vie est ici et je le sais,
Revenir n'est pas une option.
Ce mal du pays ne va pas m'achever,
Mais il m'envahit comme un poison.

Quelques jours passent, la douleur s'atténue,
L'expatriation, notre choix, notre fardeau,
Il reviendra à mes heures perdues
Me voler des larmes, quelques sanglots.

Il ne vous tuera pas mais vous en aurez l'impression,
Pleurez, criez, exprimez, guérissez.
C'est le mal du pays, de l'expatriation,
Pas irréversible, vous l'apprivoiserez.

Tout vous manque; des bras, un visage, un appel,
Je donnerais tout pour m'éclipser, à quand la télé-transportation?
L'odeur des croissants, une brasserie, la Tour Eiffel,
Vous entrainent dans une nostalgique dépression.

Il me prend à la gorge quelques fois par an,
Après des années, continue à me visiter,
J'assume mon choix, vais de l'avant,
Il ne vous tuera pas, il ne m'a pas tuée.

Nos Cartes Vertes

J'étais loin de m'imaginer le prix à payer,
Moralement, physiquement et financièrement.
Qu'on est bien loti en France, quelle sécurité
Sociale bien sûr, j'allais le découvrir rapidement.

Les Français, nous sommes les meilleurs pour râler,
Les Américains, les champions pour payer,
Nos syndicats, littéralement en syncope assurée,
Quand en une matinée, on peut se faire virer.

Les assurances explosent les budgets,
La société de consommation les soutenant,
La population tombe malade, dépitée,
Et interviennent les lobbies des médicaments.

Un système magique bien roué
Qui nous fait regretter notre carte de sécu,
Notre médecin de famille et ses prix légers,
Nos hôpitaux, nos urgences, nos CHU.

Une opération sans assurance à partir de trente mille dollars,
Je viens d'en avaler mon capuchon,
À l'hôpital, nous nourrissent-ils au caviar?
Toujours une marge d'exagération.

La maladie est un bas business,
La guérir demandant des prix exorbitants,
Même surprenant pour une grossesse,
Le plus important n'est pas la vie, mais l'argent.

On se conditionne à ne jamais tomber malade,
Non chéri, pas de bras cassé ce mois-ci,
Trois mille dollars pour ta dernière cascade,
À ce train là, on rentre à Paris.

C'est une inquiétude, une omniprésence,
Au lieu de penser à guérir ou à se reposer,
Combien ça coûte? Est-ce dans mon assurance?
Premières pensées après avoir été opéré.

L'assurance ici marche par réseaux,
On ne peut pas se faire soigner où l'on veut,
Et quand on veut avoir le top niveau,
Il faut sortir le chéquier, faire un prêt pour les moins chanceux.

Notre carte verte américaine a des qualités,
Fière de l'avoir, je peux y vivre, rester, travailler,
Mais la carte verte en France, la carte de sécurité,
Nous manque, quelle chance, rien à payer.

La sécurité sociale française est un vrai cadeau,

Réalisez-le, mes compatriotes de France,

Quand vous voulez critiquer vos taxes, votre pays, votre fardeau,

Réalisez avec gratitude votre chance.

Mon Jour J

J'imagine ce jour parfait,
Un achèvement de mes efforts,
Se rappeler son départ pour la liberté,
Sans penser qu'un matin, j'ai le bleu passeport.

J'imagine ce jour plein de sanglots,
De bonheur, de fierté, d'émotion,
En me tenant devant le drapeau,
Recevant ma naturalisation.

Chantant l'hymne américain
La main posée sur le cœur,
Plein de flashs, de souvenirs divins,
De mon avion à cette spéciale heure.

Je prêterai serment d'allégeance,
Pour une nation dans laquelle je rêvais de vivre,
Pour montrer à mon nouveau peuple ma chance
Et mon honneur d'avoir pû le choisir.

Je terminerai cette journée par une belle fête,
Pour célébrer ma bi-nationalité,
Car j'aurai bien sûr toujours en tête,
Que Française à jamais je resterai.

Gastronome en Manque

La gourmandise est un vilain défaut.
Coupable jusqu'au bout des orteils,
J'assume à 100% ma passion pour les gâteaux,
Les croissants, le fromage et le miel.

Malgré les fournisseurs français,
Nous n'en avons jamais assez,
Certains produits durs à trouver,
D'autres hors de prix et de portée.

Je pense aux tartes aux mirabelles,
Spécialités de ma douce Alsace,
Aux quetsches, gelée de groseille,
Torches aux marrons, meringues et glaces.

Au Champagne et ses bulles fines,
Au Châteauneuf du Pape et son goût bien ancré,
Au Pinot Gris et ses variations divines,
Au Château Margaux et sa délicieuse volupté.

La choucroute de ma maman,
La tarte aux fraises de ma tante,
L'onglet à l'échalote et aux piments,
La tarte flambée et ses variantes.

Les pâtes au foie gras et aux morilles
Hantent mes rêves de gastronome,
Comme le comté, le gruyère et le brie,
La tête de moine, le St Marcellin et la tomme.

Voilà ce qui me manque terriblement,
Dans ma vie d'expatriée,
Sans parler de la croustillante baguette fumante,
A la nourriture, j'ai l'impression d'être droguée.

Je viens de prendre cinq kilos en écrivant ce poème,
Rien qu'en imaginant mes mets préférés,
En oubliant la pièce montée et ses choux à la crème,
La mousse au chocolat et son caramel beurre salé.

Mes Deux Terres

Ce sentiment incroyable d'appartenir
À deux territoires, avoir deux maisons,
Quand l'une est loin, l'autre nous fait sourire,
Mais il y a toujours un manque, une obsession.

Prenant l'avion vers Paris,
Je vois la terre américaine s'éloigner,
Un soulagement, l'excitation de revoir ma famille,
Laisser Los Angeles pour juste souffler.

Avec l'impression, que peut être je ne reviendrai pas,
Que je quitte ma ville frénétique,
Comme si j'étais lasse de celle-là,
Et que je partais pour une aventure magique.

Mon atterrissage à Paris rempli d'émotion,
Des yeux embués de bonheur d'être à la maison,
Enfin je vais toucher ma terre, ma région,
Je suis chez moi, indescriptible sensation.

Bizarrement, il ne me faut jamais très longtemps,
Avant que Los Angeles commence à me manquer,
Les réflexions, la mentalité, les jugements
En France, me rappellent pourquoi j'ai tout quitté.

Quand je reprends mon train,
Direction l'aéroport et que je redécolle,
Mon ressenti est plein de chagrin
Entre ma nouvelle ville et ma métropole.

Déchirée entre deux maisons, deux pays,
Je voudrais pouvoir vivre dans l'avion,
Constamment en voyage, une excitante vie,
Ne pas devoir choisir entre mes deux nations.

Littéralement mon cœur est en morceaux
Entre mon futur et mes racines, écartelée,
Je ne peux renier mon berceau,
Je ne peux tirer un trait sur ma postérité.

Le sentiment d'être écorchée vive,
De vouloir être sur deux sols en même temps,
Je ne pourrai jamais vraiment choisir une rive,
L'Amérique et l'Europe, mes deux terres, mes deux continents.

Parce que

Pourquoi quitter son pays
Quand il nous manque tellement?
S'imposer des sacrifices, des soucis,
Tout rebâtir, recréer lentement.

On part pour les opportunités,
Trop peu nombreuses en France,
Pour une meilleure vie, des milliers d'idées,
Pour un confort financier avec un peu de chance.

La France est si belle, une culture si riche,
Mais la mentalité étriquée nous emprisonne
Dans des vies prédéfinies, de nous on se contrefiche,
Nous ne serons jamais en charge de la donne.

Bien trop d'ambition pour pouvoir rester
Dans un pays où l'on me dit comment me comporter,
Prends un job, un appart, comme tout le monde fait,
Et devient esclave de notre société.

Je n'ai jamais joué selon les codes,
J'aime créer les miens,
Être metteur en scène de mes épisodes,
Écrire mon scénario du début à la fin.

Mon master en poche, je n'avais aucun avenir,
Depuis que les diplômes sont un vulgaire papier,
Essayant de m'intégrer au système, mais mon désir
Était trop fort pour mon destin, pour mon succès.

J'avais besoin d'indépendance,
De pouvoir faire ce qui me plaît,
Sans être jugée, sentir l'intolérance,
De mes compatriotes fermés.

Des plafonds trop bas, des rues trop étroites,
Qui ont un charme fou mais pas pour s'y développer,
On ne peut pas grandir dans des boîtes,
Sans prendre la forme du moule de la société.

Besoin de briser les limites
Que l'on veut nous imposer,
Nous entraînant à la faillite,
Pour mieux pouvoir nous contrôler.

Comment fait-on pour sortir de l'ordinaire ?
Dans un pays qui vous y enferme,
Ne pas trop réussir, ne pas être millionnaire,
Rester dans la norme et vivre avec flegme.

On part pour des milliers de raisons,
Le manque d'opportunité, le besoin de s'évader,
Comme si l'on se sentait en prison,
Dans cette cage de protocoles et d'insécurité.

Cette dernière est une raison majeure,
Quand on ne cesse de se faire insulter,
Étant une femme avec des valeurs,
Dans un pays perdant les siennes, on ne peut rester.

On part pour trouver le bonheur
Qu'ici on ne trouvera jamais,
Comme si on chassait les entrepreneurs,
En écrasant leurs rêves, leurs possibilités.

On part pour une expérience de plus,
Espérant que les choses vont évoluer,
Qu'un jour avec un beau rictus,
Nous imaginerons l'idée de rentrer.

Le Paquet Orange

On frappe à la porte,
Un homme, un colis orange dans les bras,
Je connais la couleur qui me réconforte,
Le paquet est devant moi.

Ayant traversé l'Atlantique,
Soigneusement préparé et rempli,
Il apparaît d'une façon magique,
Comme un moment de féerie.

Un paquet venu de France,
Comme si j'y étais pendant quelques secondes,
En ouvrant Suchard, Pims, toutes mes carences,
Mes produits préférés au monde.

Parfum au monoï, pignons de pin,
Sans oublier mon pain d'épices au chocolat,
Le fait que ma famille me connaisse si bien,
Me fait me sentir proche, même s'ils ne sont pas là.

Recevoir un colis est comme de la télépathie,
Avoir l'impression d'être connectée avec l'envoyeur,
Comme s'il avait lu dans mon esprit,
Que j'avais besoin d'attention ou d'un Petit Beurre.

Sa réception est un moment unique,
Un instant spécial d'émotion,
Une surprise bourrée d'étrennes euphoriques,
Avec le bordereau de mon pays à mon nom.

Quand je reçois un paquet de France,
Je ne peux contenir ma joie,
Partout je saute, avec effervescence,
Car un peu d'eux est avec moi.

Ils me manquent tellement parfois,
Avoir des présents de leur mains,
Est un peu Noël à n'importe quel mois,
À quand la possibilité de poster des câlins?

Correspondre

Quitter un pays avec lequel on est familier,
Où toutes les personnes que l'on connaît sont,
Où l'on a un emploi, pas de quoi s'inquiéter,
Mais est-ce que l'on correspond?

Notre terre, celle de notre naissance,
Celle avec laquelle on doit se sentir en harmonie,
À moins qu'il y ait une autre chance,
Qu'on ait besoin d'autres options, d'autres envies.

Il serait tellement plus facile
De se mentir et d'essayer de s'intégrer,
Mais après des années malhabiles,
On doit prendre la décision de s'envoler.

On part et alors on réalise,
Que c'est dans un pays dont on n'a rien en commun,
Où l'on n'a aucune balise,
Où l'on n'a pas d'ami, pas un.

Un pays où tout est différent,
Où l'on abandonne notre confort,
Où la langue on ne comprend,
Et où l'on doit faire des efforts.

Et pourtant, c'est l'endroit qui nous convient,
Et il faut des kilomètres et des avions,
Pour réaliser que le plus simple n'est pas le plus sain,
Mais que parfois, c'est le plus compliqué qui nous correspond.

Et on est heureux sur une terre inconnue,
Avec des personnes que l'on vient de rencontrer,
Nos limites, tout notre être mis à nu,
Mais on sait qu'au bon endroit on est.

Certains diront que l'on cherche la complexité,
Quand on peut nier nos intuitions,
Quand on préfère trouver la vérité,
Car c'est ce qui nous correspond.

Les Papillons de Los Angeles

Ils surveillent la ville en nous observant,
Pour eux, nous sommes de tout petits points,
Au moins un, volant, toujours présents,
Ils sont nos protecteurs, nos anges gardiens.

Parfois tourbillonnant, tournant en rond,
Ils recherchent, se concentrent sur leur proie,
La trouvent et l'attaquent finissant leur mission,
Avec les fourmis au sol, refermant le convoi.

On peut en voir sept ou huit en même temps,
À différents endroits dans le ciel,
Ils accélèrent, ralentissent, parfois s'arrêtant,
Pour scruter l'horizon, les rues, le coucher de soleil.

Nos papillons ont un rôle important,
Ils sont là pour nous protéger,
Prenant de la hauteur quand rien n'est urgent,
Se rapprochant quand ils doivent nous sauver.

Dans la nuit, ils clignotent et scintillent,
Leur présence est inquiétante mais aussi rassurante,
Quand ils font la course avec l'ennemi,
Lui parlant même quand il y a trop d'attente.

Ils sont courageux, nos soldats volants,
Propres aux grandes villes américaines,
Je suis entrain de les contempler en écrivant,
J'entends leurs associées, les sirènes.

Un hommage à nos papillons était évident,
Ils nous aident à rendre notre vie sécuritaire,
Contrôler la ville, arrêter les méchants,
Nos papillons, nos anges, nos hélicoptères.

Guerre d'identités

En Amérique, l'adorable Frenchie,
En France, la courageuse Américaine,
Je ne sais plus trop où j'en suis
Dans cette crise d'identité soudaine.

Mes compatriotes ne comprennent pas que je puisse voter
En France, car je n'y vis plus,
Comme si j'étais mise de côté,
Que je n'étais plus Française, étrangère devenue.

Aux États-Unis, je suis la Française avec accent,
Qui ne peut donner son opinion,
"Tu n'es pas là depuis assez longtemps
Pour comprendre notre histoire, notre nation".

Parfois je me sens bi-nationale,
J'appartiens à deux pays,
Je me sens bien partout, pas de mal,
Je suis Franco-Américaine et de l'être ravie.

Parfois je suis sans nationalité,
Comme si je n'avais pas d'appartenance,
Je me sens bizarrement rejetée,
Un vide sans réel sens.

Le blues de l'expatrié,
Ces vagues incessantes de hauts et de bas,
Où l'on est parfaitement intégré,
Puis soudainement seul comme un rat.

Partout ou nulle part,
Deux extrêmes sans nuance,
Les expatriés connaissent ce brouillard
Qu'ils doivent combattre, cette transcendance.

Une réelle guerre d'identités
Qui fait place dans nos têtes,
Plutôt un combat de nationalités
Qui nous trouble certains jours dans notre quête.

Jusqu'à ce qu'on réalise avec allégresse,
Tous nos "moi" ne font qu'une personne,
Nos identités sont nos richesses,
En nous, gentiment elles tourbillonnent.

On les accepte avec bonheur,
On les a en partie choisies,
Elles font partie de nos cœurs,
Merci d'avoir lu ma thérapie.

Toujours y croire

Quand on veut renoncer,
Pensant que ça ne fonctionnera pas,
Toujours y croire est la clé,
Toujours avoir la foi.

Il est facile de donner des conseils,
Encore faut-il les appliquer,
Tout ce que je vis me révèle,
Qu'y croire, crée notre destinée.

Quand je voulais partir, pendant quatre ans,
J'ai attendu la parfaite occasion,
Rien ne venant et patiemment
J'y croyais et refusais l'abandon.

J'ai quitté mon emploi sans être sûre de rien,
Pas de roue de secours, juste une intime conviction,
Que mon départ était là, à portée de mes mains,
Mon cœur me disait que j'avais raison.

L'univers, comme un cadeau, nous pousse à sauter,
Et le plus dur est alors le culot
De tout risquer, perdre ou gagner,
Mais notre foi rend le souci idiot.

Le plus important à savoir ici,
Y croire réellement crée notre réalité,
L'imagination est un puissant outil,
Notre cerveau produit ce dont il est persuadé.

Réapprendre à penser comme un enfant,
Pour eux, rien n'est impossible,
Ils sont inarrêtables comme s'ils figeaient le temps,
Ils n'ont pas peur, ils sont invincibles.

Attention à votre langage,
Il doit toujours être positif,
Au lieu de contempler vos barrages,
De votre gratitude, soyez attentif.

Si votre cœur vous dit de continuer,
Écoutez-le car il a toujours raison,
Croire en ses rêves, en ses idées,
Est pour les réaliser la meilleure façon.

Futurs arrivants

Partir vivre ailleurs est un grand saut,
Des sacrifices, des questions, un cheminement,
De la liberté, des inquiétudes, des bas et des hauts,
Des amitiés, des richesses, des inoubliables moments.

Ne pas être seul ou au moins épaulé
Est toujours dans ce moment apprécié,
Des conseils à soigneusement écouter,
Suivre et rigoureusement appliquer.

Mes dix conseils aux futurs arrivants,
Quand de la France vous décollez,
Pour l'Amérique spécifiquement,
Dix conseils à ne jamais oublier.

Personne ne vous attend, ne vous connaît.
Les États-Unis fonctionnent sans vous depuis des centenaires,
Ne pensez pas que parce que vous êtes Français,
Ils seront à vos pieds, et vous, maîtres de la Terre.

Ne pensez pas changer le consommateur.
"Je ne cuisine que français, ça va révolutionner leur papilles",
Adaptez-vous à ce qu'ils aiment, et à leur mœurs,
Sinon vous risquez vite de retourner au pays.

"En France ceci, en France cela",
La réalité est que vous n'y êtes plus,
Donc si vous avez sauté le pas,
Vous intégrer sera l'objectif voulu.

Préparez-vous bien à connaître le système,
Compliqué, parfois injuste mais on l'a choisi,
Assurances, impôts, banques américaines,
Vous devez être incollables pour ne pas être surpris.

Apprenez la langue de vos voisins,
Vous souhaitez tout de même comprendre vos nouveaux amis,
Savoir s'exprimer pendant un entretien,
Être sûr de pouvoir être compris.

Croyez en vous, même au plus bas,
C'est ce qui vous fera rester,
Des obstacles toujours il y aura,
Vous avez plus de force que vous ne le pensez.

Ne changez pas s'il vous plaît,
Quand le succès, au sommet vous hisse,
Si nombreux qui deviennent infatués
Avec l'argent et l'air de Beverly Hills.

Rentrez quand vous en avez besoin,
Votre ressource, votre bouffée d'air,
Une fois par an pour moi au moins,
Pour ma survie, c'est nécessaire.

Écoutez les conseils, les expériences,
Je sais, on est Français, on pense qu'on sait tout,
Prenez nos erreurs comme une chance,
D'éviter le pire qu'on a fait avant vous.

Et pour finir prenez votre pied,
Apprenez, découvrez, aimez,
Car ce moment, vous le possédez,
C'est votre vie d'expatrié.

Libres

Nous sommes tous libres
De faire ce que l'on veut,
De pleurer ou de sourire,
D'être comblés ou malheureux.

Même si nous croyons être emprisonnés
Dans nos problèmes, nos vies, nos questions,
C'est une illusion, une contre vérité,
Car nous sommes libres de toutes nos décisions.

Libres de partir, de quitter notre pays,
Libres de se sentir bien et d'avoir ce que l'on veut,
Rien ne nous arrête, rien ne nous nuit,
C'est notre tête qui nous dit qu'on ne le peut.

Libres de créer notre entreprise,
D'être ce que l'on rêve de devenir,
De persister, de faire ses valises,
D'aller mieux, de se soigner, de guérir.

Libres de changer nos vies
Quand de nos attentes, elles ne sont pas à la hauteur,
Qui nous oblige à vivre des moments non-choisis?
Dire stop à la tristesse, aux regrets, au malheur.

Libres dans notre quotidien, tous les jours,
De vivre comme nous l'espérons,
Sans contrainte, limite ou détour,
De profiter de chaque instant avec passion.

Libres d'admirer la nature,
De prendre notre temps, de méditer,
De prendre soin de soi, partir à l'aventure,
De penser à notre bien-être, passer en premier.

Libres de choisir
Absolument tout depuis que nous sommes nés,
N'est-ce pas excitant de pouvoir créer l'avenir?
Devenir le magicien de notre destinée?

Je suis libre, m'a apprise mon expatriation,
Je décide, rien ne peut me contrôler.
Mes barrières sont de fictives aberrations,
Que je casse puissamment pour ma liberté.

À mon Papi

À toi mon Papi adoré,
Tu me manques depuis si longtemps,
Ce dernier poème t'est dédié,
Toi qui avais pour la poésie du talent.

Petite, je me souviens, tu m'écrivais des poèmes,
Tu m'expliquais l'importance des rimes,
Comment tu choisis et écris ce que tu aimes,
Aujourd'hui, je suis ton estudiantine.

Je suis désolée, pardonne-moi une chose,
Toi, fanatique de l'Alexandrin.
Moi, je préfère écrire en prose,
Ma créativité meurt quand je me sens contrainte.

Compter les pieds n'est pas pour moi,
Pourvu que ça colle avec mes strophes,
Tu serais fâché d'entendre ça,
Mais je sais que tu comprends, sans reproche.

Tu as toujours été artiste, créatif et doué,
J'ai suivi ton chemin talentueux,
Je n'aurais jamais pensé écrire pour de vrai,
Un recueil de poèmes, de mes aveux.

Tu as raison, la poésie c'est comme se mettre à nu
Devant son audience, attentive à toutes nos émotions.
J'ai voulu retranscrire mon expérience, mon vécu,
Qu'on ressente le meilleur et le pire de mon expatriation.

Magnifique moyen de s'exprimer, la poésie
Se perd avec notre époque, avec notre temps,
En quelque sorte ma thérapie,
Pour vous faire vibrer avec mes sentiments.

Je t'aime Mon Papi, dernière petite faveur,
Embrasse pour moi ma Mémé, Mamie et les miens,
Vous êtes partis plus loin que moi, et toujours dans mon cœur,
Vous êtes dans tout ce que je fais, mes anges, mes gardiens.

Pour toi, ce dernier poème clôt mon recueil,
Il m'a permis d'exprimer ce que je refoulais,
Une honnêteté pour mon audience mise à plat sur mes feuilles,
C'est pour toi Mon Papi, qui m'a tant inspirée.

***

L'expatriation est loin d'être une chance, c'est un choix. Les sacrifices qui y sont liés, ce prix à payer, c'est une décision. C'est dur, comme vous avez pu le ressentir, mais si nous faisons le choix de partir et surtout de rester, c'est qu'il y a plus de bonheur que de difficultés.

Malgré toutes mes épreuves, tout ce qui me manque, je referais exactement le même parcours à 100%. Je ne regrette en rien ce que j'ai vécu et ce que j'ai décidé. Malgré « Le Mal du Pays » ou « Je veux rentrer », mon expatriation a été de loin ma meilleure décision. Elle m'a aidée à grandir, à devenir une femme indépendante, a changé complètement ma vie, en me rendant attentive à chaque situation, chaque moment.

Je remercie particulièrement mes parents et mon frère, qui m'ont toujours soutenue malgré mes idées folles, et Dieu seul sait que j'en ai eues. Ils ont toujours cru en moi, et m'ont poussée à aller plus loin, à réussir, quand les autres n'y croyaient pas. Mes parents m'ont défendue, m'ont fait confiance, en moi et mon intuition. Je leur serai éternellement reconnaissante d'avoir été toujours là pour moi.

Je remercie Romain Angeletti, sans qui cette aventure n'aurait jamais eu lieu. Il a été le premier à m'avoir engagée et à avoir cru en moi et mon talent, quand moi-même, j'en doutais. Je lui dois ma vie américaine, il m'a envoyée à Los Angeles, où j'ai rencontré mon mari. Je ne saurai jamais si le destin lui a soufflé cette idée, mais je sais qu'il a joué un rôle plus qu'important dans ma nouvelle vie.

Je remercie Claire Arnaud Aubour, pour m'avoir prise sous son aile depuis mon arrivée à Los Angeles et de m'avoir aidée dans mes décisions avec ses si bons conseils, ainsi que Tropez Aubour, mon parrain.

Je remercie Josette Leblond, pour ses conseils et son amitié depuis le début.

Je remercie mon Papi, de m'avoir appris la poésie et de m'avoir donné sa créativité. Je pense avoir hérité de son côté rêveur et de son côté artiste. Si fière d'être sa petite fille, j'espère qu'il me scrute de son étoile et qu'il est aussi fier de moi que je le suis de lui.

Je remercie ma Mémé, qui est mon ange gardien depuis qu'elle nous a quittés pour son paradis. Je la sens avec moi dans mes moindres faits et gestes. Parfois même, je peux la rencontrer au détour d'un rêve afin qu'elle me conseille ou qu'elle vienne juste me signaler qu'elle est toujours là avec moi. Elle m'accompagne dans mon expatriation, à chaque moment. Quand je me suis mariée à Los

Angeles, durant toute la cérémonie, j'avais la pierre porte-bonheur qu'elle m'avait offerte, une pierre couronnée de deux coccinelles. Elle était alors avec moi, car je ne pouvais franchir cette étape sans elle.

Je remercie les amis qui ont été là et qui sont restés malgré l'absence et les aléas de la vie. Je sais que notre amitié sera éternelle.

Je remercie les personnes mal intentionnées que j'ai rencontrées sur mon chemin ou que j'ai quittées en France. Vous m'avez permis de me forger un caractère bien plus trempé, vous m'avez forcée à devenir forte et intransigeante. Et pour cela, je vous remercie grandement.

Enfin, je tiens à remercier tous mes lecteurs, qui ont acheté ou emprunté et lu ce recueil, j'espère que vous avez apprécié mes écrits et j'espère vous retrouver un jour dans de nouveaux.

Où que vous soyez, qui que vous soyez, vous êtes de magnifiques personnes et n'oubliez jamais...vous êtes libres...

***

Porte
Bonheur

Made in the USA
Middletown, DE
13 March 2019